Claire Donlan

An Tobar

GW00994163

Ghnóthaigh 'An Tobar' le Ruaidhrí Ó Báille duais an
Oireachtais (1984) sa chomórtas 'Ábhar Léitheoireachta do
Fhoghlaimeoirí Fásta' faoi choimirce Údarás na Gaeltachta.

Foilsithe ag
C J Fallon
Bóthar Leamhcáin Baile Phámar
Baile Átha Cliath 20

An Chéad Eagrán Márta 1996

An tEagrán seo Iúil 1997

Chlóbhuailte i bPoblacht na hÉireann ag
Mount Salus Press Teoranta Sráid an Easpaig Baile Átha Cliath 8

An Tobar

"Cá raibh mé aréir?"

Bhí Seán Ó Briain ina luí ar a leaba agus, arís, bhí sé ag caint leis féin. D'fhéach sé ar a bhríste a bhí caite ar chathaoir in aice leis an leaba. Bhí cúpla pingin faoin gcathaoir a thit amach agus é ag baint a chuid éadaí de ar a trí a chlog an mhaidin sin. Léim sé as an leaba.

"Bhí seasca punt agam aréir!"

D'fhéach sé ina phócaí go tapa. Ní raibh aon airgead ann. Chuaigh sé go dtí a chasóg a bhí ar an urlár. Chuir sé a lámh isteach i ngach póca. Níor tháinig sé ar aon rud.

"Cá raibh mé aréir?"

Bhí sé cinnte go bhfuair sé seasca punt ag an dól inné. Chuaigh sé isteach, scríobh sé a ainm ar an líne, agus thug an cailín an t-airgead dó. Sé nóta nua £10. Ach cá ndeachaigh sé ansin? Bhí a fhios aige go raibh sé ag caint le King go luath sa lá, ach ní raibh a fhios aige cad a rinne sé ina dhiaidh sin.

Ba mhaith leis rud éigin a ithe mar ní raibh aon rud aige le fada. Bhí sé anois a dó dhéag a chlog sa tráthnóna agus bhí sé fiche uair ó d'ith sé béile. Ní dhearna sé aon bhéile iontach dó féin le tamall … le dhá bhliain b'fhéidir. As McDonald's agus "Gairdín Shanghai" a tháinig cibé rud a chuaigh isteach ina bhéal na laethanta seo. Cibé ar bith, níor ith sé rud ar bith ó fuair sé an nuacht …

Chuaigh sé go dtí an doras agus fuair sé buidéal bainne. Bhain sé an caipín de ach níor tháinig aon rud amach. Bhí sé reoite. Chaith Seán an buidéal uaidh. Thit sé go talamh agus chaith sé tamall ag féachaint ar na píosaí briste; smidiríní gloine, agus píosaí de bhainne reoite ina luí gach áit. Bhí siad cosúil leis na píosaí sneachta a thit ar an urlár cúpla bliain ó shin nuair a bhris a mhac Pádraig an fhuinneog le liathróid lá geimhridh. Ní raibh a fhios aige cá raibh a mhac anois. In Éirinn? Meiriceá? Bhí Pádraig sé bliana d'aois anois. Ní raibh aithne cheart aige ar a athair. Bhí sé ró-óg nuair a d'imigh Diane.

Thuig Seán anois go raibh Diane imithe. Tháinig oíche fhliuch dhá bhliain ó shin isteach ina cheann. Chuala sé Diane ag caoineadh: "Lá éigin nuair a thagann tú isteach, beidh mé imithe. Beidh mé imithe agus ní bheidh mé ag teacht ar ais. Fuair sé í sa chathair an oíche sin. Mar a tharla cúpla uair cheana, bhí sí ólta agus ní raibh a fhios aici cá raibh sí. Bhí sí ag ól ó mhaidin agus nuair a tháinig sé uirthi, bhí sí ina suí ar shuíochán salach i seanphub ag caint léi féin. Thug sé abhaile í, agus thug sé cupán caife dubh di. Chuir sé ina suí cois na tine í, agus d'éist sé léi.

"Dearmad ba ea é, a Sheáin. Ní féidir liom fanacht anseo. Ní maith liom na daoine, ní maith liom an aimsir, ní …"

"Ní maith leat mise!"

D'fhéach sí air nóiméad gan caint. Ansin thosaigh sí ag féachaint isteach sa tine.

"Bhí mé óg. Níor thuig mé Éire. Níor thuig mé tusa. Ní thuigim mé féin anois." Stop sí. Bhí a súile fliuch. Bhí a fhios aige go raibh sí tuirseach.

"Anocht, nuair a bhí mé ag siúl, ní raibh a fhios agam cá raibh mé ag dul." D'fhéach sí air. "Ní féidir liom aon chaint eile a dhéanamh. Ba mhaith liom dul a chodladh."

Nuair a tháinig sé isteach sa seomra leapa, bhí sí ina codladh cheana. Luigh sé isteach go ciúin. Tar éis uair an chloig, ní raibh sé ina chodladh fós. Bhí na rudaí a dúirt Diane ag imeacht timpeall ina cheann. Timpeall agus timpeall. D'fhéach sé uirthi. Bhí a haghaidh fuar agus bán. Bhí stoirm ar siúl amuigh. "Tá sí tuirseach den áit seo. Briseadh atá uaithi. Teach nua, cathair nua b'fhéidir."

Ach rinne sí é. Cúpla lá ina dhiaidh sin, nuair a tháinig Seán abhaile ón obair, fuair sé boladh 'Cachet' sa teach. Chaith Diane 'Cachet' nuair a bhí sí ag dul amach go minic. An uair seo ní raibh sí ag teacht ar ais. Ní raibh a fhios aige cén fáth, ach thuig sé é sin. Bhí sé cinnte go raibh an ceart aige nuair a chonaic sé go raibh gach gúna agus gach cóta a bhí aici imithe as an seomra leapa.

Ní raibh Diane sásta le hÉirinn riamh. Bhí gach rud ró-mhall di. Tháinig sí ó Bhostún sa bhliain 1975. Dochtúir le ceol ba ea a hathair agus bhí sé tar éis post a thógáil i U.C.D. Éireannach ba ea a athair féin agus ba mhaith leis an áit a fheiceáil. Bhí sé ag scríobh leabhair faoi cheol na hÉireann. Bhí Diane ag déanamh B.A. i U.C.D. nuair a bhuail Seán léi. Bhí an rud céanna á dhéanamh ag Seán. Chonaic sé í cúpla uair sa rang Béarla agus, ar

ndóigh, chuala sé í. Shíl sé go raibh a glór
Meiriceánach go hálainn. Fuair sé seans caint a
dhéanamh léi lá amháin sa leabharlann. Bhí sé ina
shuí ag bord ag léamh nuair a chonaic sé Diane ina
seasamh ar stól. Bhí sí ag iarraidh leabhar mór a
fháil ó sheilf ard. Bhí an leabhar róthrom di agus
thit an leabhar, an stól, Diane, agus fiche leabhar
eile ar an urlár díreach in aice le Seán. Nuair a
chonaic sé an cailín álainn seo agus lán seilf de
leabhair timpeall uirthi, bhris sé amach ag gáire.

"Ní bheidh tú chomh sásta sin má chaithim seo
leat," ar sise, ag díriú 'Roget's Thesaurus' air. Stop
sé. "Tá brón orm," ar seisean, ag seasamh suas
agus ag cuidiú léi na leabhair a chur ar ais ar na
seilfeanna. Nuair a bhí sin déanta, d'fhéach sé
uirthi.

"Bhuel, sin sin." Bhí ciúnas ann ar feadh soicind.

"Bhuel, beidh mise ag imeacht," ar sise.

"Fan…em…tá mise ag dul ag ól cupán caife.
Ar mhaith leat teacht?"

D'fhéach na súile dána air. Ní raibh a fhios aige
cad a bhí ar siúl ina ceann.

"Níl tart orm."

"Oh, tuigim…bhuel."

"Ach…" Bhí sí ag gáire. "Ba bhreá liom teacht."

*   *   *   *

"An bhfuil sibh ag fanacht anseo don oíche?" arsa
an bhean sa chóta gorm leo ar a deich tar éis a
naoi. "Tá sibhse ceart go leor. Bhí mise anseo an lá

ar fad. Ba mhaith liom dul abhaile am éigin anocht."

Léim Diane as a cathaoir.

"Deich tar éis a naoi? Ó, Ó. Caithfidh mé rith. Tá athair craiceáilte agam."

"Feicfidh mé amárach thú," arsa Seán.

D'fhéach na súile dána air arís. "B'fhéidir." Chuir an freagra seo fearg ar Sheán. Ach bhain sí an fhearg de. Thug sí póg thapa ar an tsrón dó. Agus rith sí léi.

An lá ina dhiaidh sin, chaith siad cúpla uair eile ag ól caife agus ag caint. Tar éis cúpla seachtain, bhí Seán ag caitheamh gach nóiméad saor le Diane. Thuig Diane é, shíl sé. Ní raibh sé ró-chinnte ar thuig sé féin Diane ach bhí rud éigin aici, rud éigin dána, rud éigin nua…

Nuair a chríochnaigh athair Diane a leabhar, d'imigh sé ar ais go Meiriceá. Ní raibh sé ábalta aon rud a dhéanamh nuair a dúirt Diane go raibh sí ag fanacht. Ní raibh sé sásta, ach bhí an B.A. le déanamh sa samhradh. Ní raibh sé ró-shásta ach oiread nuair a fuair sé amach go raibh Seán agus Diane ag pósadh tar éis an tsamhraidh. Ach bhí seisean i Meiriceá. Cibé ar bith, bhí leanbh ag teacht. Bhí Seán fiche agus bhí Diane naoi mbliana déag. Ach b'in sé bliana ó shin. Ní raibh aon Diane anois ann. Bhí sise imithe. Bhí Seán leis féin. Thuig sé é sin.

D'fhéach sé timpeall sa seomra salach, a raibh éadaí caite gach áit ann.

"Cad a rinne mé leis an airgead sin?"

Tháinig an t-airgead isteach ina cheann arís mar bhí deoch eile uaidh. Bhí sé ólta aréir. Chaith sé an oíche ag dul ó phub go pub, ag ól, ag caint, agus ag caoineadh. Ó d'imigh Diane agus an leanbh, bhí sé go dona. Bhí sin cinnte. Thosaigh sé ag ól; chaith siad amach as an obair é; bhí an teach féin imithe…

Ach dhá lá ó shin, chuala sé rud nua. Rud a chuir scian isteach ina chroí. Bhí Diane marbh!

Istigh sa phub a bhí sé ag léamh an 'Evening Herald'. Píosa beag ar leathanach a cúig a bhí ann:

Thóg na Gardaí corp as an Life aréir. Bean óg a bhí ann. Níl a fhios acu cén t-ainm a bhí uirthi. Bhí gúna dearg á chaitheamh aici agus cóta gorm. Bhí comhartha broinne ar a lámh chlé a bhí cosúil le héan. Bhí sí ag caitheamh bráisléid. Bhí 'Diane agus Seán, An Tobar 1976' scríofa ar an mbráisléad.

Thit an páipéar as a lámh. Bhí eolas maith aige ar an gcomhartha sin. Minic a thug sé póg dó. Agus bhí a fhios aige cá bhfuair sí an bráisléad. Thug sé féin di é. Thosaigh sé ag siúl go dtí an doras, ach d'éirigh sé lag. Thit sé ar an urlár. Rith fear éigin chuige. "An bhfuil tú ceart go leor?" Tháinig daoine eile timpeall ar an bhfear seo a bhí ar an talamh. D'fhéach sé suas ar na súile a bhí ag féachaint go míshásta air. Shíl siad go raibh cúpla deoch air. Chuir siad ar a chosa arís é. Ghabh sé buíochas leo agus thosaigh sé ag siúl go dtí an doras arís.

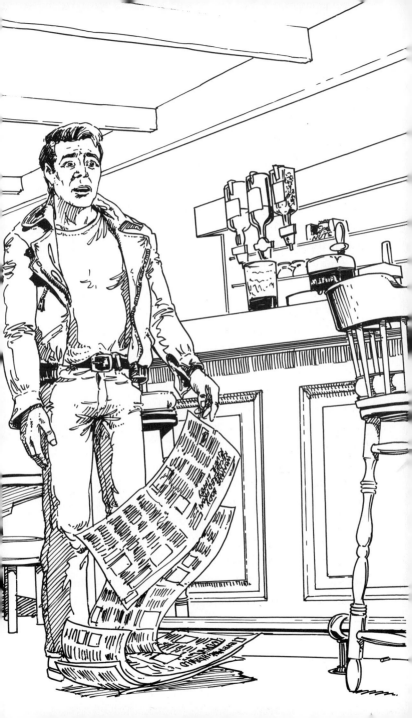

"An bhfuil gach rud i gceart anois?" arsa seanfhear leis.

"Tá mo bhean marbh. Ní fhaca mé le dhá bhliain í agus anois tá sí marbh."

Ní raibh a fhios aige conas a tháinig sé ar an teach an oíche sin. Bhí sé ag siúl píosa agus ag rith píosa, ag caint leis féin an t-am ar fad agus ag rá a hainm leis an oíche. Nuair a d'oscail sé an doras, chuaigh sé isteach agus shuigh sé ar an staighre. Chaith sé tamall go ciúin sa halla dorcha. Ansin rinne sé rud nach ndearna sé ó bhí sé ina pháiste blianta ó shin. Bhris sé amach ag caoineadh.

Ní bhfuair sé aon chodladh an oíche sin agus ar a seacht a chlog an mhaidin ina dhiaidh, bhí sé ar an teileafón ag caint leis na Gardaí. D'inis sé dóibh go raibh aithne aige ar an mbean a fuair siad sa Life. Dúirt siad leis dul síos go dtí an t-ospidéal chun an corp a fheiceáil. "Caithfimid a bheith cinnte."

Nuair a tháinig sé amach ón dól, shiúil sé an bealach ar fad go dtí an t-ospidéal. Tháinig fear amach a raibh cóta bán air agus thug sé suas staighre é go dtí seomra geal. Bhí sí ina luí ar bhord. Bhí sí glanta ach bhí a fhios aige ar an bpointe nach báite a bhí sí. Bhí a dhá súil dubh, agus bhí marcanna gach áit uirthi. Níor thit sí isteach sa Life. Chaith duine éigin isteach í. Agus chuir an duine sin piléar ina ceann álainn.

D'fhéach sé uirthi tamall fada. D'fhéach sé ar an aghaidh sin a bhí chomh geal le sneachta uair amháin. Chuir sé lámh uirthi. Bhí sí cosúil le leac oighir. Bhí aithne aige ar an aghaidh agus arís ní raibh. Aghaidh Diane a bhí ann, ach ní raibh Diane sa seomra. Ní raibh a fhios aige cá raibh sí. Bhí súil aige go raibh sé sona.

Nuair a tháinig sé amach, chaith sé tamall ag siúl suas agus síos sa halla mar amadán. Ansin stop sé agus d'fhéach sé amach an fhuinneog ar na busanna agus na daoine a bhí ar an tsráid thíos faoi; daoine ag rith gach áit. Chonaic sé máthaireacha agus páistí acu. Tháinig pictiúr de Diane agus Pádraig isteach ina cheann.

"Seán Ó Briain?"

Chuala sé duine éigin ag rá a ainm. D'fhéach sé timpeall chun an fear a bhí ag caint leis a fheiceáil. Bhí sé mór agus bhí cóta gorm á chaitheamh aige. Bhí píopa ina bhéal. Bhí Seán cinnte gur sórt Garda a bhí ann.

"Is ea, cé tusa?"

"King an t-ainm atá orm. Pól King."

"Garda tú?"

"Bhuel, is ea agus ní hea. Tá mé sa Bhrainse Speisialta." Thaispeáin sé cárta beag a raibh a ainm air do Sheán.

Bhí ciúnas ann ar feadh cúpla soicind. Ansin:

"Chonaic tú an corp."

"Chonaic."

"Do bhean atá ann."

D'fhéach Seán ar an bhfear.

"Cé rinne é seo?"

Thóg King a cheann agus bhain sé a phíopa amach as a bhéal. Chonaic Seán nach raibh sé óg. Shíl sé go raibh sé timpeall caoga bliain d'aois. Ní raibh a fhios aige cad a chonaic sé ina shúile-trua b'fhéidir.

"An fada ó chonaic tú do bhean?"

"Dhá bhliain. D'fhág sí mé. Cén fáth?"

"An bhfuil a fhios agat cá ndeachaigh sí ansin?"

"Níor chuala mé aon rud uaithi. Shíl mé go raibh sí imithe ar ais go Meiriceá." Chuir King an píopa isteach ina bhéal arís. Ní dúirt sé aon rud ar feadh i bhfad. Bhí an chuma air nach raibh sé cinnte den mhéid a bhí Seán a rá. "Chuaigh sí go Londain," ar seisean sa deireadh, a shúile dorcha ag féachaint ar Sheán an t-am ar fad.

Bhí ionadh ar Sheán. Ní raibh a fhios aige go raibh aithne ag Diane ar aon duine i Londain. Ach ní raibh sé cinnte de rud ar bith anois. B'fhéidir go raibh cara ó U.C.D. aici ann.

"Cad a rinne sí ansin?"

"Bhuel, ní raibh sí gan obair. Féach, scéal fada is ea é. Ól cupán caife liom agus beidh a fhios agat gach rud. Cibé ar bith, caithfidh mé labhairt leat faoi Diane."

Chuaigh siad go Bewley's i Sráid Ghrafton. Chuaigh King suas chun dhá chupán caife a fháil, agus thosaigh Seán ag féachaint ar na daoine a bhí ag na boird timpeall an tsiopa ag ól caife. Daoine óga, éadaí geala glana orthu. Bhí cailín álainn le gruaig oráiste ag caint le buachaill tanaí faoi rud éigin a chonaic sí ar an teilifís. Bhí na súile ag damhsa ina ceann. Bhí gach dath faoin spéir sa scairf mhór fhada a bhí á caitheamh aici. D'fhéach Seán ar a corp óg láidir. Bhí sí timpeall naoi mbliana déag d'aois, shíl sé. Chonaic sé a aghaidh féin sa scáthán a bhí ar an mballa. Bhí sé bán agus bhí línte dubha faoine shúile. Bhí a ghruaig salach agus bhí an chuma air nach bhfaca sé bearbóir le fada.

"Seo dhuit." arsa King ag tabhairt cupán caife dó. Thóg Seán toitín as a phóca. Chuir sé isteach ina bhéal é. Chuir sé a lámh ina phóca arís chun cipín a fháil, ach bhí ceann lasta ag King cheana. Las an bleachtaire an toitín agus ansin las sé a phíopa féin.

"Go raibh maith agat."

Ní raibh a fhios ag Seán cad a bhí chuige. Bhí sé ag fanacht ar an bhfear eile chun an ciúnas a bhriseadh.

"Sea," a duirt King. Ansin stop sé. D'fhéach sé ar Sheán.

"Tá brón orm, ach níl an scéal atá agam duit ródheas."

"Ní raibh an rud a chonaic mé tamall ó shin ródheas ach oiread," a dúirt Seán go tapa. "Chonaic mé mo bhean ina luí ar bhord mar bhábóg bhriste. Dhá bhliain ó shin, d'imigh sí uaim agus thóg sí mo mhac léi. Anois tá sí marbh agus níl a fhios agam cá bhfuil mo mhac. Ná bí ag caint liomsa faoi scéalta deasa!"

Ní dúirt King rud ar bith. Bhí sé ciúin ar feadh cúpla nóiméad. Ansin thosaigh sé ar an 'scéal'.

"Mar a dúirt mé," ar seisean. "Nuair a d'fhág Diane tú, chuaigh sí go Londain. Bhí sí ag fanacht le cara ó Mheiriceá ar feadh píosa. Fuair sí post i scoil bheag in Ealing. Tar éis tamaill, thóg sí teach ar cíos agus thosaigh Pádraig ag dul go dtí an scoil freisin."

Bhris Seán isteach air. "Conas go bhfuil a fhios seo agaibh?"

"D'inis Scotland Yard dúinn faoi."

"Cén fáth a mbeadh a fhios ag Scotland Yard cad a bhí ar siúl aici?"

Níor thug King freagra ar bith ar an gceist seo.

"Anois tagann duine eile isteach sa scéal. Bhuail sí leis ag páirtí. Meiriceánach eile ba ea é. Bhí aithne mhaith ag Gardaí Londan air. 'An Siopadóir' an t-ainm a thug daoine air."

D'fhéach Seán air le hionadh. "An Siopadóir? Cén sórt 'earraí' a bhí aige?"

"Drugaí. Hearóin, cóc, rud ar bith.

Cibé ar bith, thosaigh Diane ag dul amach leis an duine seo. Thaispeáin sé an chathair di. Cheannaigh sé rudaí daora di, agus do Phádraig. Tar éis cúpla mí, chuaigh sí a chónaí leis."

"Cad faoi Phádraig?"

"Thug sí a leanbh léi. Bhí teach iontach aige. Rinne sé a lán airgid as na drugaí. Fuair sé banaltra do Phádraig agus bhí Diane lánsásta."

Dúirt Seán an rud a bhí ina cheann le cúpla nóiméad:

"An raibh a fhios aici conas a fuair sé a chuid airgid?"

"Ní raibh nuair a chuaigh sí a chónaí leis, ach d'inis sé di tar éis tamaill."

"Cad a rinne sí ansin?"

"Thosaigh sí ag obair dó."

Léim Seán as an gcathaoir. Bhí coinnle ar a shúile agus bhí an chuma air go raibh sé chun King a bhualadh.

"Ní chreidim thú. Táimid ag caint faoi mo bhean, ní andúileach salach ó Soho! Bhí sí craiceáilte, tá a fhios agam. Rinne sí go leor rudaí a bhí amaideach. Ach hearóin a dhíol?" Chaith sé a chupán ar an talamh. Bhris sé ina smidiríní. Stop an chaint sa siopa. Nuair a chuala na daoine na focail "hearóin a dhíol", thosaigh siad ag féachaint ar an bhfear salach seo a bhí ag caitheamh rudaí timpeall ha háite. Fear fiáin. Bhí eagla i súile an chailín álainn leis an ngruaig oráiste.

D'fhéach Seán timpeall na cistine. Fuair sé an citeal agus chuir sé uisce isteach ann. Bhí a fhios aige anois cá raibh sé aréir. Ar dheoch a chaith sé airgead an dóil. Bhí sé tar éis rith amach as Bewley's mar ainmhí fiáin. Bhí na rudaí a dúirt King ró-dhona, ró-dhorcha. Bhris rud éigin istigh ina cheann. Rith sé síos Sráid Ghrafton mar chapall. Bhí eagla ar dhaoine roimhe agus d'imigh siad as a bhealach go tapa. Bhí sé ag rith gan stop ar feadh cúpla nóiméad. Ní raibh a fhios aige cá raibh sé ag dul, fiú. Tháinig sé go dtí teach tabhairne. D'imigh sé isteach.

Fuair King é ar a dó a chlog ar maidin. Bhí sé ina chodladh faoi chrann ar Shráid Leeson.

"Bhí mé ag rith timpeall i do dhiaidh an lá ar fad," arsa King. "Sílim gur féidir linn do mhac a fháil ar ais. Is féidir leat cuidiú liom má tá tú sásta." Thóg sé abhaile é ina charr. "Faigh oíche chodlata agus beidh mé ag caint leat amárach." Agus d'imigh sé.

D'oscail Seán an cófra. Ní raibh aon rud ann ach cúpla paicéad brioscaí agus 'Quicksoup'. Chaith sé an t-anraith isteach i gcupán. Chuir sé uisce te air agus d'ól sé go mall é.

Aréir dúirt King leis fanacht sa teach mar go raibh sé ag teacht chun é a fheicéail ar a haon a chlog. Chuir sé an raidió ar siúl agus las sé toitín. Bhí an cipín fós ina lámh nuair a bhuail duine éigin ar an doras amuigh. King a bhí ann.

D'fhéach an bleachtaire timpeall na cistine. Bhí cupáin shalacha gach áit agus bhí an bord lán de sheanbhia, píosaí de bhrioscaí briste, arán le spotaí gorma air, agus a lán bruscair eile.

Bhí litir ina láimh ag King.

"Bhuail mé le fear an phoist ar mo bhealach isteach. Litir duit."

Thug sé do Sheán í. D'fhéach Seán ar an litir.

"Ach ní thuigim é seo," a dúirt sé. "Tháinig fear an phoist ar a deich a chlog. Ní bheidh sé ar ais go dtí a trí."

"Oscail í," arsa King. "Oscail í!"

Fuair Seán scian agus d'oscail sé an litir. Thit dhá rud amach. Pictiúr agus nóta beag. D'fhéach siad

14

ar an bpictiúr. Tháinig dath bán ar aghaidh Sheáin.
Buachaill óg a bhí ann. Bhí sé ag caoineadh.
I ngairdín áit éigin a bhí sé. Bhí sneachta ar an
talamh agus bhí fear mór le rud éigin dubh
ar a aghaidh in aice leis.

"Mo mhac atá ann. Cad tá sa nóta?"

Bhí King á léamh:

> Má tá do mhac uait, tabhair an mála ar ais dúinn. Tá cúig lá
> agat chun é a fháil. Faigh an mála agus beidh duine éigin ag
> caint leat.

Thit Seán isteach i gcathaoir go lag. "Ní chreidim é
seo," a dúirt sé. "In Éirinn atá mé, ní in áit éigin
fiáin sa Bhronx."

"Tá Éire chomh dona le gach áit eile anois," arsa
King. "Bhí a fhios agam go raibh rud éigin mar seo
ag teacht."

Nuair a chuala Seán é seo, tháinig fearg air.

"Cén fáth nár inis tú dom é?" ar seisean.

"Bhuel," arsa King. "Inné, rith tú amach orm agus,
aréir, bhí tú ólta agus tuirseach."

"Ach níl a fhios agamsa aon rud faoi mhála. Ní
fhaca mé Diane le dhá bhliain." Bhuail King a
phíopa ar an mbord cúpla uair chun é a ghlanadh.
Thóg sé bosca tobac amach agus chuir sé cuid de
isteach sa phíopa. Nuair a bhí sé lán, dúirt sé go
ciúin, "Tá a fhios agamsa cén mála atá siad a
chaint faoi."

Chuir sé an nóta isteach i leabhar beag agus
thosaigh sé ag siúl chun an dorais. "Cuir ort do
chóta. Tá mise agus tusa ag dul isteach sa chathair.

Tá mé chun an nóta seo a thabhairt isteach go dtí an Caisleán."

Ar an mbealach isteach sa charr, chuala Seán scéal an mhála.

"Bhí Diane i Londain go dtí seachtain ó shin," arsa King.

"Cén fáth ar tháinig sí abhaile?"

"Bhí páirtí ar siúl acu sa teach oíche amháin. Bhí An Siopadóir 'as a cheann' ar dóp. Bhí Diane ag rith timpeall ag tabhairt amach bia agus rudaí eile. D'imigh An Siopadóir suas staighre agus ní fhaca sí arís é an oíche sin. Ansin, nuair a bhí gach duine imithe abhaile ar a ceathair a chlog ar maidin, tháinig eagla uirthi. Chuaigh sí isteach sa seomra folctha agus chonaic sí é istigh san fholcadán lán. B'fhéidir gur thit sé a chodladh agus gur thit a cheann faoin uisce. B'fhéidir gur chuir duine éigin a cheann faoi, ach cibé ar bith bhí sé marbh."

"Huth!" arsa Seán. "Ní bheidh mise ag caoineadh faoi."

"Bhí cás 'attache' sa teach," arsa King. "Bhí £1,000,000 de hearóin ann. Nuair a thuig Diane go raibh An Siopadóir marbh, ní dúirt sí aon rud. An mhaidin sin, níor chuir sí Pádraig ar scoil. Fuair sí tacsaí go hAerfort Heathrow agus chuaigh ar bord eitleáin a bhí ag dul go Baile Átha Cliath. Bhí mála aici a bhí lán d'éadaí Phádraig. Bhí sé lán de rud éigin eile freisin."

"Hearóin?"

"Is ea. Anois, tá na 'siopadóirí' eile tar éis teacht go hÉirinn chun a gcuid 'earraí' a fháil ar ais.'

17

"Agus síleann siad go bhfuil a fhios agamsa cá bhfuil an mála?"

"Go díreach! Agus tá do mhac acu chun é a fháil."

Stop an líne fhada de charranna a bhí ag dul isteach sa chathair. Bhí a lán sneachta crua ar an mbóthar agus bhí sé cosúil le gloine. D'fhéach Seán amach fuinneog an chairr. Bhí an tsráid lán de pháistí scoile a bhí ag dul abhaile don lón, iad ag rith agus ag léim timpeall, lánsásta go raibh siad amuigh faoin spéir. Chaith buachaill beag liathróid sneachta leis an gcarr. Tháinig sé suas go dtí an carr le ceann eile ina lámh, ach d'oscail King an fhuinneog. "Imigh!" a dúirt sé. Bhí rud éigin fiáin ina shúile a chuir eagla ar an bpáiste. Thit an liathróid as a lámh agus gan focal, chuaigh sé ar ais go dtí na buachaillí eile.

Bhí Seán an-chiúin. Shíl King nach raibh sé sásta leis an dóigh a labhair sé leis an mbuachaill. Ach ní raibh Seán ag éisteacht leis.

"Tá mo mhac marbh," ar seisean.

"Ná bí ag caint mar sin," arsa King. "Níl sé marbh. Chonaic tú an pictiúr sin. Bhí sneachta ann. Ní raibh aon sneachta againn le tamall fada go dtí dhá lá ó shin. Tá sé fós beo."

"Bhuel beidh sé marbh go luath!" arsa Seán. "Má d'fhág Diane mála hearóine in aon áit, níl a fhios agamsa cá bhfuil sé. Ní féidir liom na drugaí a thabhairt ar ais. Mar sin, tá Pádraig marbh cheana."

"Sílim gur féidir linn teacht ar an mála," arsa an fear eile.

"Conas?"

Thosaigh an líne carranna arís.

"Tá mé cinnte gur fhág Diane rud éigin ina diaidh ag rá leatsa cá bhfuil sé. Bhí sí ag teacht chun tú a fheiceáil an oíche a fuair sí bás." Chuir na focail seo ionadh ar Sheán. "Ach," ar seisean. "Ní raibh a fhios aici cá raibh mé i mo chónaí."

"Bhí a fhios aici," arsa King. "Fuair na Gardaí a corp oíche Dé hAoine, ach ar an Déardaoin bhí sí ag do sheanteach. Ní raibh aon duine ann, ach fuair sí an fear a cheannaigh uait é sa deireadh agus thug sé do sheoladh nua di. Bhí sí ag dul chun tú a fheiceáil nuair a stop duine éigin í."

"Ach cén fáth a raibh sí ag teacht chun mise a fheiceáil?" arsa Seán.

"Níl a fhios agam, ach is féidir linn an freagra a fháil. Sin é an fáth a bhfuil tusa ag teacht isteach sa chathair."

"Ní thuigim thú ar chor ar bith."

D'fhéach súile dorcha King ar Sheán ach ní fhaca siad é. Shíl Seán go raibh siad ag féachaint ar rud éigin eile, rud éigin istigh ina cheann a bhí i bhfad ó scéal Diane.

"Hé!" arsa Seán leis.

"Huth?…Ó gabh mo leithscéal…bhí mé imithe… tá mé tuirseach."

"Bhí tú chun a rá liom cén fáth a bhfuil mise ag teacht isteach sa chathair leat."

"Is ea," arsa King. "Tá na rudaí a bhí ar chorp

Diane fós san ospidéal. Chuala mé go bhfuair siad leabhar uirthi freisin. B'fhéidir go bhfuil cúpla rud ann nach dtuigeann aon duine eile ach tusa. B'fhéidir gur scríobh sí rud éigin faoin mála ann. Cibé ar bith, téigh isteach agus faigh an leabhar. Tá mise ag dul isteach go dtí Caisleán Bhaile Átha Cliath chun caint le cúpla duine faoin nóta seo."

Stop King an carr i Sráid D'Olier agus d'oscail Seán an doras.

"Slán!" arsa an bleachtaire. "Nuair a fhaigheann tú an leabhar, téigh abhaile agus fan sa teach. Beidh mé ag caint leat anocht."

Ní raibh sé ró-shásta dul ar ais go dtí an t-ospidéal, ach chuaigh. Dúirt an bhanaltra leis a ainm a scríobh i leabhar agus thug sí bosca beag dó. D'oscail sé an bosca agus d'fhéach sé ar na rudaí a bhí istigh ann. Nóta £5, cúpla píosa 10p., agus briseadh beag eile. Scáthán beag, pionsail do na súile, agus bráisléad. 'Seán agus Diane, An Tobar 1976.'

Nuair a chonaic Seán na focail 'An Tobar', tháinig na seanlaethanta ar fad ar ais. Áit speisialta ba ea é seo nuair a bhí sé féin agus Diane ag dul amach le chéile i U.C.D. Ní tobar ceart a bhí ann ar chor ar bith ach seanchrann a raibh poll mór ina lár. Bhí an crann sna cnoic thuas in aice le Gleann Cuilinn. Ní raibh sé ach leathmhíle ón teach a bhí ar cíos ag athair Diane. Chaith siad a lán ama san áit nuair a bhí Diane ina cónaí lena hathair. Fear crua ba ea é. Meiriceánach den seandéanamh. Ní raibh cead ag Diane aon bhuachaillí a thabhairt abhaile. Níor chuir a hathair aon fháilte roimh 'hippies' salacha

U.C.D. Bhí eagla air go raibh sí chun titim i ngrá le hamadán éigin agus a saol a chaitheamh amach an 'gawdamn' fhuinneog! Má bhí sé in Éirinn chun tír a athar a fheiceáil, ní raibh mac Éireannach uaidh. Nuair nach raibh sí ag an gcoláiste, ní raibh cead ag Diane Gleann Cuilinn a fhágáil. Mar sin, nuair ba mhaith leo a bheith le chéile ar an Satharn nó ar an Domhnach, tháinig Seán amach go Gleann Cuilinn. Bhí Diane ábalta a rá lena hathair go raibh sí ag dul amach 'ag siúl'. Bhí 'an tobar' in áit álainn ar fad. Nuair a tháinig siad air lá amháin, thit Diane i ngrá leis ar an toirt. Leis na crainn, na cnoic, agus an t-uisce a bhí ag rith tríd, bhí sé cosúil le radharc éigin ar chárta poist. Bhí ciúnas le fáil ann. Bhí siad ábalta am a chaitheamh le chéile gan leath de U.C.D. ag féachaint orthu. Chaith siad laethanta samhraidh ann ag ól Mateus Rosé agus ag ithe Camembert a tháinig ó chistin mháthair Diane. Aon uair a bhí páirtí ar siúl sa teach, rinne Diane cinnte de go bhfuair sí cúpla buidéal le cur isteach sa 'tobar'.

Tar éis tamaill, bhí siléar ceart acu istigh sa seanchrann.

Uaireanta, ní raibh cead ag Diane dul amach ag siúl, fiú, ach bhí sí ábalta nóta a fhágáil do Sheán sa chrann. Ba bhreá léi rudaí rómánsúla a scríobh. Bhí cuid de na nótaí aige, fós. Tráthnóna amháin, chuir sé 'an cheist mhór' uirthi. Thug sí an fhéachaint dhána sin air.

"Téigh go dtí an 'tobar' amárach agus beidh a fhios agat." An mhaidin ina dhiaidh sin, fuair sé cárta beag le "Cinnte, a amadáin," scríofa air.

Chuir sé an bráisléad agus na rudaí eile ina phóca agus thosaigh sé ag siúl amach. Stop glór na banaltra é. Rith sí suas go dtí é. "Em…bhí sé seo ar an gcorp freisin," a dúirt sí, ag tabhairt mála plaisteach dó. Istigh sa mhála bhí leabhar nótaí salach. Bhí cuma dona go leor air ach bhí sé ábalta na focail 'Diane Uí Bhriain' a fheiceáil go lag air. Bhí sórt áthais air 'Uí Bhriain' a fheiceáil.

"Bhí sé……"

"Fliuch?"

"Is ea," ar sise. "Ach ghlan na Gardaí é agus tá sé tirim anois."

"Tuigim," arsa Seán. Chuir sé an leabhar ina phóca agus amach leis. Ní raibh sé ábalta fanacht san áit nóiméad eile. An boladh. An boladh céanna a bhí ann nuair a chonaic sé corp Diane – boladh an bháis.

Nuair a bhí sé ag teacht amach as an ospidéal, chonaic sé fear mór tanaí ina sheasamh ag an doras ag léamh páipéir. D'fhéach sé ar Sheán ar feadh soicind. Ansin, d'fhéach sé isteach sa pháipéar arís. Bhí Seán chun 'Heló' a rá leis ach stop rud éigin é. Bhí sé cinnte go raibh aithne aige ar an bhfear. Bhí sé tar éis é a fheiceáil cheana áit éigin. Ach cén áit? Shiúil sé leis ach ní raibh sé sásta. Ansin bhuail sé é. Bhí an fear sa phub an oíche a léigh sé faoi Diane sa 'Herald'. Ach cad a bhí ar siúl aige anseo?

Chas sé timpeall chun féachaint air arís. Ach bhí an fear imithe.

Bhí King ag fanacht leis ag an teach. Chuaigh an bheirt acu isteach gan focal a rá. Shuigh King ag an mbord.

"Bhuel?" ar seisean.

Bhí rud éigin fiáin sa dóigh a ndúirt sé an focal, rud éigin nár thuig Seán.

"Rudaí beaga. Ní mórán a bhí ann."

"Is ea, ach cén sórt rudaí?" Bhí King ina sheasamh anois, é ag féachaint isteach sna súile ar Sheán.

"É seo." Thóg Seán amach an leabhar nótaí. Níor thug King seans do Sheán aon rud eile a rá ach bhain sé an leabhar as a lámh agus thosaigh sé ag dul trí na leathanaigh shalacha. Shuigh Seán síos in aice leis.

"Tá mé cinnte go mbeidh rud éigin anseo ag rá linn cá bhfuil an mála," arsa an fear meánaosta.

Tar éis cúpla nóiméad, bhí siad gafa tríd an leabhar ar fad. Ní raibh mórán ann. Seolta i Sasana, seanseoladh Sheáin agus a sheoladh nua ar leathanach amháin. Ansin, tháinig King ar rud éigin.

"Céard é sin?"

"Céard?"

"Ansin. Féach!"

Bhí King ag caint faoi rud éigin a bhí scríofa le peann dearg faoi ainm Sheáin. Bhí an t-uisce tar éis níochán ceart a thabhairt don leathanach, ach, nuair a chuir sé an lampa leis, bhí Seán ábalta a rá

céard a bhí ann. Dhá fhocal le ceithre líne fúthu:
An Tobar.

*   *   *   *

Ní raibh a fhios ag Seán go díreach cén fáth nach
raibh sé sásta scéal an tobair a insint do King. Bhí
cuid mhaith rudaí ag dul trína cheann agus é ag
dul amach go Gleann Cuilinn an mhaidin seo. An
fhéachaint dhorcha a thug King air nuair a dúirt sé
leis nár thuig sé na focail; a mhac, Pádraig, cá
raibh sé? Bhí a cheann lán. Céad rud ag dul
timpeall ann san am céanna. Bhí an leabhar nótaí
ag King anois. Dúirt sé go raibh sé chun é a
thabhairt isteach go dtí An Caisleán. Bhí Seán sásta
faoi sin. Níor mhaith leis aon duine eile a bheith
leis agus é ag dul ar ais go dtí an áit. Bhí sé
róphearsanta. Má bhí mála fágtha ann, ba mhaith
leis teacht air é féin. Má bhí hearóin ann, bhí sé
sasta é a thabhairt ar ais do na daoine seo chun a
mhac a fháil. Ach ní raibh cead ag aon duine
draíocht an "tobair" a bhriseadh. Ba leis féin an áit.
Leis féin agus lena bhean mharbh.

D'fhéach gach rud fuar, reoite dó nuair a tháinig
Seán go dtí Gleann Cuilinn. Ní raibh sé riamh ann
sa gheimhreadh. Shíl sé ar dtús go raibh dearmad
déanta aige agus go raibh sé tar éis an bóthar
mícheart a ghabháil.

Ach, tar éis tamaill, tháinig sé go dtí seangheata
trom le 'Dun í do dhiaidh' scríofa air i bpéint
dhubh. Bhí an phéint nua, ach bhí seanaithne aige
ar an ngeata. Chuir sé pictiúir de laethanta
samhraidh ag damhsa ina cheann. É féin agus
Diane go gealgháireach sona, ag imirt cluichí

Theastaigh uaidh

beaga amaideacha agus ag gáire faoi gach rud a tháinig isteach ina gceann. Ag caint faoi phósadh, faoi theach a cheannach, ag suirí.

Nuair a bhí an geata dúnta aige, stop sé nóiméad ag féachaint timpeall air. Áit álainn ba ea é, cinnte. An ciúnas sin a bhí ann sé bliana ó shin, ní raibh sé imithe fós. Agus é ag féachaint ó thuaidh, bhí sé ábalta an chathair a fheiceáil, geal le sneachta, cúpla simléar ard ag caitheamh toite chun na spéire; spéir gheal ghorm ag taitneamh anuas ar na sléibhte bána. Shiúil sé píosa agus ansin, idir dhá chrann eile, bhí sé fós ann. *An Tobar*. Bhí an féar fada timpeall ar an gcrann briste. Bhí an chuma air go raibh duine éigin tar éis a bheith ann, agus ní ró-fhada ó shin. Bhí an ceart aige!

1. *gcuntúirt i ndainséar*

Síos leis ar an talamh. Bhí a chroí ag bualadh ina chluasa agus é ag cur a láimhe isteach sa pholl dorcha. Ar dtús, níor tháinig sé ar aon rud. Ansin léim a chroí nuair a tháinig sé ar rud éigin crua. Stop sé. D'éist sé. Shíl sé gur chuala sé rud éigin. Chuir sé a lámha ar an talamh chun seasamh, ach ní bhfuair sé an seans. Rith pian tobann óna cheann síos trína chorp ar fad. Agus é ag titim isteach sa chiúnas dorcha, bhí sé cinnte gur chuala sé duine éigin ag gáire.

Bhí sé ina luí mar a thit sé agus bhí stoirm ar siúl ina cheann. D'fhéach sé go tapa ar an bpoll. Bhí sé chun a lámh a chur isteach arís ach stop an gáire é. D'fhéach sé suas agus chonaic sé King ag seasamh cúpla slat uaidh. Bhí gunna aige i lámh amháin. Sa lámh eile, bhí cás *attaché* dubh.

"An é seo atá uait?" ar seisean go mall.

D'fhéach Seán ar an gcás agus ar an bhfear seo a shíl sé a bheith ina chara go dtí an nóiméad seo. Ach ní cara a chonaic sé anois ag seasamh ar shneachta crua na páirce. Bhí an bleachtaire meánaosta imithe anois agus ina áit bhí fear gunna le súile fuara a bhí ag féachaint air mar a fhéachann cat ar éan.

"Tuigim anois cén fáth a raibh tú 'ag cuidiú' liom," arsa Seán. "Ní bleachtaire thú ar chor ar bith."

Rinne an fear eile gáire fuar. "Ó níl an ceart agat ar chor ar bith. Is bleachtaire de shórt éigin mé. Ach níl mé leis an mBrainse Speisialta." Bhí glór 'King' imithe anois. Sasanach a bhí ag caint leis, ó Yorkshire, b'fhéidir.

"Conas a tháinig tú ar an áit?"

"An dóigh leat gur amadán mé ar fad? Bhí a fhios agam go maith gur thuig tú cá raibh an 'tobar' seo. Las do shúile beaga suas mar mhaisín 'Pinball' nuair a chonaic tú na focail. Nár léigh mé faoin mbráisléad leis an rud deas rómánsúil scríofa air? Caithfidh mé a rá nach le páirc feirme a bhí mé ag súil." Thug Seán léim amháin, ag iarraidh an gunna a fháil, ach stop an fear eile é le cic láidir sa bholg. Thit Seán ar ais ar an talamh. Bhí an cic tar éis an anáil ar fad a bhaint as. Chuir King an gunna lena cheann.

"Déan é sin arís agus tá tú marbh!" ar seisean.

"Abair sin gan do ghunna," arsa Seán. Ach bhí a fhios aige nach raibh ann ach caint. Bhí an fear eile ró-láidir.

"Le gunna nó gan ghunna," arsa King, "beidh mé ábalta tú a stopadh. Chaith mé blianta ag foghlaim conas fear a mharú le mo lámha amháin."

"Ní chreidim tú," arsa Seán. "Ní raibh tusa riamh i do bhleachtaire."

"Ó, bhí," arsa an Sasanach. "Bleachtaire iontach ab ea mé uair amháin. Ach ní raibh mé ábalta fanacht ann. Ní raibh an t-airgead ró-mhaith. Is maith liom airgead, tá a fhios agat. Sin é an fáth ar thosaigh mé mo rud féin." Bhí Seán ag féachaint air go dorcha. "Tusa a rinne é sin do Diane."

Rinne King gáire fuar. "Diane bhocht. Bhí a béal ró-mhór. Bhí sí ag teacht anseo chun scéalta a insint fúm."

"Cén fáth, cad a rinne tú?"

"Bhuel má deirim leat go bhfuil ainm eile orm, beidh a fhios agat cuid mhaith den scéal."

Go tobann, thuig Seán céard a bhí sé a rá. D'fhéach sé air le hionadh. "Is tusa An Siopadóir!" ar seisean go mall. "Níl tú marbh ar chor ar bith." Bhí a fhios aige go raibh sé ceart. "Scéalta a bhí ann. Ní raibh uait ach an hearóin a ghoid Diane."

"Ní fhaca Diane hearóin riamh," arsa an fear eile go ciúin.

Stop an chaint seo Seán mar bhuille ar a bhéal. D'fhéach sé ar King, a shúile lánoscailte. Ní raibh sé cinnte ar chuala sé i gceart é. D'oscail sé a bhéal chun rud éigin a rá, ach bhris an Sasanach isteach air.

"Seas suas agus siúil go dtí an geata go mall. Má dhéanann tú aon rud amaideach, beidh mé lánsásta piléar a chur isteach i do cheann."

Ní raibh Seán ábalta aon rud a dhéanamh. Sheas sé agus shiúil sé chun an gheata.

Chuaigh an bheirt fhear síos an bóithrín agus amach ar an mbóthar. Shuigh King isteach i suíochán an phaisinéara agus dúirt sé le Seán dul isteach sa cheann eile. "Tá mo lámha uaim," ar seisean ag cur an ghunna isteach in easnacha Sheáin.

"Anois, tosaigh an carr."

"Cá bhfuil mé ag dul?"

"Beidh a fhios agat, luath go leor. Ba mhaith leat do mhac a fheiceáil, nár mhaith? Tá sé ag fanacht. Leanbh deas. Is trua go raibh máthair amaideach aige."

D'fhéach Seán go tapa air ach ní dúirt sé aon rud. Ba mhaith leis a fháil amach cá raibh a mhac ar dtús. Ní raibh sé chun aon rud a dhéanamh go dtí go raibh a fhios sin aige. Ach bhí a fhios aige rud amháin. Bhí King ró-chinnte dó féin. Nuair atá duine chomh cinnte sin, go minic déanann sé dearmad. Agus ní raibh ach seans amháin uaidh.

Nuair a tháinig siad go dtí an chathair, dúirt King le Seán dul trasna na Life ó thuaidh. Tháinig siad chomh fada le Baile Phib agus thug sé ainm bóthair dó. Bhí a fhios ag Seán cá raibh sé. Chuir sé a chos síos, agus tar éis cúpla nóiméad, bhí siad ann.

"Anseo," arsa King nuair a chonaic sé an teach a bhí uaidh. Teach mór a bhí ann. Bhí sé bán, ach bhí an phéint ag titim de. Bhí an chuma air nach raibh duine ar bith ina chónaí ann le fada. Chuaigh siad suas go dtí an doras. D'oscail duine éigin é agus chuaigh siad isteach. D'fhéach Seán ar an bhfear a d'oscail. Bhí sé mór agus trom. Bhí a lámha cosúil le dhá spáid.

"Chonaic mé sibh ón bhfuinneog," ar seisean le King.

"An bhfuil gach rud i gceart, Ron?" arsa King. Ansin stop sé agus d'éist sé. "Tá sé ag caoineadh arís."

Rith Seán suas an staighre agus isteach go dtí an seomra as a raibh an caoineadh ag teacht. Bhí buachaill óg ina luí ar a bholg, a lámha ar a cheann. Bhí a aghaidh ar an bpiliúr agus bhí sé ag caoineadh go ciúin. Nuair a thuig sé go raibh duine eile sa seomra, léim sé suas agus d'fhéach sé trí shúile fliucha ar an aghaidh nua seo.

"Cé thusa?" a dúirt sé go tobann. "Cá bhfuil mo Mhamaí?"

"A Phádraig!" arsa Seán. Ní raibh sé ábalta aon rud eile a rá. "A Phádraig tá ……"

D'fhéach an leanbh air. Bhí rud éigin faoin nglór nua seo … rud éigin faoi na súile seo … an dóigh a ndúirt sé a ainm. Tháinig sé go dtí Seán agus d'fhéach sé air.

"An tusa mo Dhaidí?"

Chuir Seán a lámha timpeall ar a mhac. Bhí a

shúile féin fliuch anois. "Is mé, a stór. Is mé."

Thosaigh an leanbh ag caoineadh arís. Chuir sé a dhá láimh timpeall ar Sheán.

"Tá Mamaí imithe, a Dhaidí. D'imigh sí amach leis an Siopadóir agus níor tháinig sí ar ais. An bhfuil a fhios agat cá bhfuil sí?"

Ní bhfuair Seán seans aon fhreagra a thabhairt ar an gceist sin. Bhí King sa seomra, an gunna ina lámh aige.

"Nach bhfuil sé sin go deas anois?" ar seisean." An t-athair agus an mac i lámha a chéile."

"Cén sórt ainmhí thú?" arsa Seán.

Rinne an fear eile gáire. "Ní ainmhí mé. Tá mé an-deas le mo chairde. Cara mór liom ba ea Diane, ach níor thuig sí mé. Is ea. Cailín an-deas ba ea í ach bhí sé ag iarraidh mo 'shiopa' a dhúnadh.

"Dúirt tú nach bhfaca Diane hearóin riamh," arsa Seán. "Cad tá sa mhála mar sin?"

"Tá leabhar ann." arsa King. "Ghoid Diane é. Tá gach rud a rinne mé le trí bliana scríofa síos sa leabhar sin. Cá ndeachaigh mé; cé a dhíol mo chuid drugaí liom; cé a cheannaigh drugaí uaim, gach rud. Má fhaigheann na Gardaí an leabhar sin, tá mise marbh. Tá ainmneacha na 'siopadóirí' ar fad i Londain ann. Ní bheidh siad ró-shásta liom má thiteann an leabhar isteach i lámha Scotland Yard. Is ea, Diane bhocht. Diane bhocht álainn amaideach."

Ba mhaith le Seán scian a chur isteach sna súile

d'fhéadfadh an t-eolas ar fad
é a chrochadh.

salacha sin. Ba mhaith leis an béal a dúirt an focal 'Diane' sa dóigh sásta sin a dhúnadh. D'fhéach sé ar Phádraig. Bhí a shúile reoite le heagla, é ag féachaint ar an ngunna a bhí dírithe ar a athair.

"Cén fáth ar thóg tú anseo mé?" ar seisean. "Tá an mála agat agus má tá an leabhar ann, níl mise uait. Cén fáth nach bhfuil mé marbh cheana?"

"Hmmmm, ní amadán tusa cibé ar bith," arsa King. "Is ea. Bhuel, níor fhéach mé ar an leabhar, fós. Ba mhaith liom a bheith cinnte nach bhfuil aon rud beag eile curtha isteach aici nach dtuigim, nach bhfuil aon 'tobar' eile agaibh le fótóchóip den leabhar. Ba mhaith le mo chairde i Sasana a bheith cinnte go bhfuil deireadh le Diane agus a cuid scéalta. Ansin, beidh tú féin agus do mhac ag dul ar laethanta saoire, ach ní bheidh sibh ag teacht ar ais. Timpiste a bheidh agaibh, tá a fhios agat. Chonaic tú go minic é ar an teilifís "

Bhí an oíche ag titim. An t-aon solas amháin a bhí sa seomra ná an tine a bhí ag déanamh pictiúr dorcha ar an mballa. Chuir Seán a chóta ar Phádraig, a bhí ina chodladh go ciúin ar an leaba. Bhí 'An Siopadóir' ag féachaint isteach sa tine. An rud fiáin sin a chonaic Seán ina shúile cheana, bhí sé ann arís. Bhí sé ag caint leis an Sasanach eile, Ron.

"Bhuel, tá mé sásta anois. Gach rud a bhí uaim, tá sé anseo, na hainmneacha agus gach rud. Má rinne Diane liosta eile, níl aon dochar déanta. Tá sise marbh agus níl a fhios ag éinne cár fhág sí é."

D'fhéach sé ar an leanbh a bhí ina chodladh go

ciúin, a ordóg ina bhéal aige. "Amárach beidh tusa agus do mhac ag dul ar thuras fada. Ná bac le cásanna, ní bheidh siad uait." Rinne sé féin agus Ron gáire.

Ní dúirt Seán aon rud. Ba mhaith leis an t-ainmhí seo a bhriseadh ina smidiríní ach ní raibh sé ábalta aon rud a dhéanamh. Bhí Ron ar an stól in aice na tine, a ghunna dírithe ar Phádraig.

Go tobann bhí an seomra chomh geal leis an lá. Bhí solas láidir ag teacht isteach tríd an bhfuinneog. Ní raibh Seán ábalta aon rud a fheiceáil ar feadh cúpla soicind. Chuala sé glór duine éigin tríd an bhfuinneog. Bhí meigeafón aige.

"Sibhse atá istigh, tá Gardaí armtha timpeall ar an teach ar fad. Níl seans agaibh. Cuirigí an leanbh amach agus tagadh gach duine amach lena lámha ar a cheann." Léim Ron den stól agus rith sé go dtí an fhuinneog. D'oscail sé í píosa beag agus chuir sé cúpla piléar amach san oíche.

"Ron, a amadáin, tar ar ais!" arsa King.

Chuala Seán gloine ag briseadh. Thit an Sasanach mór ar an urlár. Bhí poll dearg idir a dhá shúil. Bhí sé marbh. Thit a ghunna ar an urlár in aice leis. Nuair a chonaic Seán é seo. Léim sé chun an gunna a fháil. Chuir sé a lámh air ach bhí sé ró-mhall. Bhí King ann cheana, a ghunna féin ina lámh aige. Chuir an Sasanach a chos síos ar láimh Sheáin chomh láidir sin go raibh Seán cinnte go raibh sé briste. D'fhéach na súile fiáine ar Phádraig. "Tusa, tar anseo." Bhí an páiste leath ina chodladh agus d'fhan sé ar an leaba. Rith King go dtí an leaba agus chuir sé a lámh timpeall ar mhuineál an pháiste. Tharraing sé go dtí an fhuinneog é.

"Éistigí liomsa," ar seisean leis na daoine amuigh. "Tá an buachaill óg agam anseo. Tá gunna lena cheann." Thaispeáin sé dóibh é. "Anois, tá mise ag teacht amach agus níl aon duine chun mé a stopadh. Tá mé chun dul isteach i mo charr agus an áit a fhágáil. Má dhéanann sibhse rud ar bith, tá mé chun piléar a chur ina cheann."

Shiúil King cúpla slat, ag tarraingt an pháiste leis. Thosaigh Pádraig ag ciceáil. Bhí lámh King ar a bhéal agus ar a shrón agus ní raibh sé ábalta aon aer a fháil. Níor thuig an Sasanach cad a bhí ar siúl ag an leanbh agus bhuail sé é lena lámh eile. Thosaigh Pádraig ag ciceáil arís, agus nuair nach raibh sé ábalta é féin a fháil saor, chuir sé gach fiacail a bhí ina cheann isteach i lámh King.

"Áááááááá!"

Chaith King an páiste ar an urlár. Bhí coinnle ar a shúile le fearg. D'fhéach sé ar an ngunna a bhí ina lámh. "Tá tusa chun do cheacht deireanach a fhoghlaim, a amadáinín" ar seisean, ag díriú an ghunna ar cheann Phádraig.

"Stop! In ainm Dé!"

Bhí Seán ar a chosa. Chuala sé a ghlór féin ina chluasa agus é ag rith go dtí King a bhí idir é féin agus an fhuinneog. Chaith sé é féin san aer agus bhuail sé an Sasanach lena chorp ar fad. Bhí an buille chomh láidir sin gur thóg sé King glan as a sheasamh agus go ndeachaigh an bheirt fhear tríd an bhfuinneog, ag caitheamh gloine gach áit agus

ag tarraingt fráma na fuinneoige amach in aer fuar na hoíche. Shíl Seán go raibh sé san aer ar feadh tamaill fhada. Bhí sé ag titim …… ag titim …… soilse gach áit …… daoine ag caint …… an phian …… Bhí sé ag fáil bháis, b'fhéidir …… Áit éigin istigh ina cheann, bhí sé sásta.

*   *   *   *

Bhí an ghrian ag taitneamh ar shléibhte Ghleann Cuilinn. Bhí Seán leis féin. Bhí sé ag dul go dtí an tobar. Ní raibh sé cinnte cad a bhí uaidh ach bhí sé ag siúl go tapa. Nuair a tháinig sé chomh fada leis an ngeata, chonaic sé bean óg ag iarraidh é a oscailt. Chuala sí ag teacht é agus chas sí timpeall. Léim a chroí. Bhí sé ag féachaint ar Diane. Bhí sé chun póg a thabhairt di ach stop sí é. Chuala sé duine ag rá a ainm. D'oscail sé a shúile.

"Á, tá tú linn arís, a Sheáin."

D'fhéach sé ar an dochtúir a bhí ag caint leis. Chuir an fear teirmiméadar isteach ina bhéal. "Is mise an Dr. Mac Aodha," ar seisean, ag dul go dtí an fhuinneog agus ag oscailt na gcuirtíní. "Anois, tá súil agam nach mbeidh tú ag iarraidh léim amach an fhuinneog seo," ar seisean agus gáire ina shúile. "Tá tú ar urlár a ceathair."

"An bhfuil mé anseo le fada? Cá bhfuil mo mhac?" arsa Seán.

"Tháinig tú isteach seachtain ó shin." arsa MacAodha. "Dhúisigh tú cúpla uair ach, leis na drugaí a thug mé duit, ní raibh a fhios agat cá raibh tú. Agus tá do mhac ceart go leor. Thóg cara le do bhean é. Beidh banaltra ag teacht isteach go

37

luath le cupán anraith te. Ól é, tá tú an-lag fós. Ó, agus rud eile, beidh duine de na Gardaí ag teacht chun tú a fheiceáil, am éigin inniu. Bhí sé anseo gach lá le seachtain anuas ag iarraidh cead isteach."

Thóg an dochtúir píosa páipéir as a phóca agus d'fhéach sé air. "Colm de Brún is ainm dó. Is bleachtaire é, is dócha."

"In ainm Dé." arsa Seán. "Ceann eile!"

"Gabh mo leithscéal?"

"Ná bac," arsa Seán. "Scéal fada is ea é."

Bhí an dochtúir díreach imithe amach an doras nuair a thánaig an bhanaltra isteach. Bhí fear tanaí léi. Nuair a chonaic Seán é, thug sé léim bheag sa leaba a chuir pianta trí gach ball dá chorp.

"Tusa!"

"Heló, a Sheáin."

"Ná habair gur tusa de Brún."

"Bhí a fhios agam gur aithin tú mé an lá sin ag an ospidéal."

"D'fhéach mé timpeall arís, ach bhí tú imithe."

Fuair an Brúnach cathaoir agus chuir sé in aice na leapa í. Shuigh sé ann.

"Is ea, níor shíl mé go bhfaca tú mé an oíche sin sa phub, ach bhí a fhios agam ó do shúile ag doras an ospidéil. D'imigh mé go tapa ansin ach chuir mé fear eile i do dhiaidh."

"Cén fáth?" arsa Seán.

"Nach bhfuil a fhios agat?"

"Nach bhfuil a fhios agam céard?"

D'fhéach an Brúnach air. "Shíl muid go raibh tú istigh ar gach rud, go raibh a fhios agat cá raibh an páiste."

"Mise?" arsa Seán. "Mise? In ainm Dé conas mise? Cad a chuir sin isteach i do cheann? A Dhia! Cén sórt tíre í seo? Níl a fhios ag na daoine cé hiad na Gardaí agus níl a fhios ag na Gardaí cé hiad na daoine!"

"Tuigim go bhfuil fearg ort," arsa an Brúnach. "Ach caithfidh tú tú féin a chur i m'áitse."

D'inis an Brúnach dó go raibh súil ag na Gardaí air ó tháinig Diane go hÉirinn. "Ní raibh a fhios againn cad a bhí ar siúl aici nuair a tháinig sí anseo. Bhí a fhios againn ó Scotalnd Yard go raibh an bhean a bhí ina cónaí leis an Siopadóir sa tír. Ba tusa a fear céile. Shíl muid go mb'fhéidir go raibh tusa chun jab éigin a dhéanamh do King anseo agus go raibh sise ag teacht chun caint leat faoi."

Chuala Seán ón mBrúnach go raibh triúr ón Scuad Drugaí 'ag obair' ar Sheán ón lá a tháinig Diane go hÉirinn; ag dul gach áit a ndeachaigh sé agus ag déanamh nótaí faoi na daoine a raibh sé ag caint leo.

"Sin é an fáth a raibh mé sa phub, an oíche sin. Ansin, nuair a fuair muid corp Diane, agus nuair a chonaic mé tusa agus King ag caint le chéile an lá ina dhiaidh sin san ospidéal agus ag dul timpeall le chéile gach lá as sin amach, bhí muid cinnte go raibh sibh ag obair le chéile."

39

"Agus go dtí an oíche sin sa teach, chreid sibh go raibh mise ag obair le King?"

"Chreid."

"Cad a chreideann sibh anois?"

"Tá a fhios againn anois cad a tharla. Bhí a fhios ag King go raibh tusa chomh briste sin nuair a chonaic tú an corp go raibh tú sásta éisteacht le daoine ar bith a dúirt leat go raibh seans agat do mhac a fháil ar ais." Chuir Seán a lámha ar an leaba, ag iarraidh suí suas ach stop an phian é. Thit sé ar ais ar an leaba go lag. "Rinne mé dochar dom féin," ar seisean.

Rinne an Brúnach gáire beag.

"Bhuel, bhris tú do dhá chois, agus rinne an ghloine ribíní de do chorp. Bhris tú ceithre easna freisin. Ach tar eis gach rud, níl tú ró-dhona."

"Conas tá King?"

D'fhéach an bleachtaire ar Sheán ar feadh soicind.

"Tá King marbh," a dúirt sé. Bhuail seisean an talamh ar dtús agus thit tusa anuas air. Bhris sé a mhuineál." Bhí Seán ciúin ar feadh nóiméid. Ní dúirt an Brúnach aon rud. Istigh ina cheann, bhí Seán ag dul tríd an oíche arís. Chonaic sé súile fiáine King agus é ag díriú an ghunna ar Phádraig. Sa deireadh, dúirt sé:

"Bhí sé chun mo mhac a mharú …… Ní raibh ……"

"Féach," arsa an Brúnach. "Ní raibh ann ach ainmhí. Bhí sé sásta rud ar bith a dhéanamh chun an rud a bhí uaidh a fháil."

"Dúirt sé liomsa go raibh sé ina bhleachtaire," arsa Seán.

"Agus bhí!" arsa an fear eile. "Ach chaith siad amach é. Bhí a fhios acu go raibh sé ag díol drugaí, ach ní raibh siad ábalta aon rud a dhéanamh. Bhí sé ró-mhaith. Daoine eile a rinne an obair dó."

"Daoine mar Diane?"

"Ní hea," arsa an Brúnach. "Ní raibh Diane ag obair do King riamh. Bhí sí ...... em, bhí sí ag cónaí leis, ach níor thuig sí ar dtús cad a bhí ar siúl aige. Nuair a fuair sí amach bhí sé ró-dhéanach. Bhí eagla uirthi. Thuig sí cén sórt duine a bhí ann. Mar sin, bhí uirthi fanacht ar a seans chun imeacht uaidh."

Bhí Seán ag éisteacht leis an mBrúnach gan focal a rá. Bhí an scéal seo an-chosúil leis an scéal a d'inis King féin dó. Thuig sé anois gur inis King cúpla rud a bhí ceart ach gur chuir sé isteach rudaí eile chun a chuidiú a fháil. Ach níor thuig sé cén fáth a raibh an liosta ag Diane. Cén fáth nár imigh sí go ciúin gan focal?

"Mar ba mhaith léi King a stopadh. Chonaic sí cailín óg cúig bliana déag d'aois ag fáil bháis mar gur thug King droch-hearóin di. Bhí stricnín tríd. Emma Shields ab ainm di. Bhí sí ag díol drugaí do King, ach fuair sé amach go raibh sí féin ag tógáil na ndrugaí ar fad a thug sé di, bhí sí chomh dona sin ar an stuif. Ba é King a thosaigh ar an hearóin í ar dtús chun í a chur ag obair dó. Bhí Diane léi nuair a fuair sí bás. Bhí a fhios aici go raibh leabhar ag King lán d'ainmneacha agus rudaí eile. An oíche a fuair Emma bás, thóg sí an leabhar agus tháinig sí go dtí an tír seo.

"Cén fáth ar tháinig sí anseo?"

"Ceist mhaith," arsa an Brúnach. "Dúirt King go minic léi go raibh Gardaí London 'ina phóca' aige. Shíl sí go mb'fhéidir go raibh cara aige ann. Tháinig sí anseo chun an leabhar a thabhairt duitse."

"Domsa?"

"Is ea. Dúirt sí le King go raibh sí ag teacht anseo chun cara a fheiceáil, agus go mbeadh sí ag teacht ar ais tar éis cúpla lá. Bhí sí chun an leabhar a thabhairt duitse agus dul ar ais agus fanacht go dtí gur inis tusa an scéal do na Gardaí anseo."

"Ach ní raibh sí ábalta teacht orm."

"Tá an ceart agat. Ní raibh tú i do sheanteach. D'fhág sí an mála in áit a raibh eolas ag an mbeirt agaibh air agus bhí sí ag iarraidh do sheoladh nua a fháil. Ach fuair King amach go raibh an leabhar imithe. Nuair nár tháinig Diane abhaile tar éis trí lá, thuig sé gur aicise a bhí an leabhar agus go raibh rud éigin as an mbealach ar siúl aici. Tháinig sé go hÉirinn ina diaidh. Ach fuair sí do sheoladh sa deireadh. Bhí sí ag teacht chun tú a fheiceáil nuair a …"

"Tá a fhios agam." Bhris Seán isteach air. "Conas a fuair sibh é seo ar fad amach? Dúirt tú nach raibh a fhios agaibh cad a bhí ar siúl aici nuair a tháinig sé anseo."

"Ní raibh," arsa an Brúnach. "Ach cara mór le Diane ba ea Pauline Shields, deirfiúr an chailín a fuair bás. Ní raibh a fhios aici go raibh Diane marbh go dtí sé lá ó shin. chuala sí faoi bhás King ar an BBC. Dúirt siad gur shíl na Gardaí go raibh Diane ag obair do King ach gur ghoid sí an leabhar chun airgead a fháil uaidh."

"Ach …"

"Féach, sin an chuma a bhí air, a Sheáin. Bhí Diane ina cónaí leis an Siopadóir, tháinig sí go hÉirinn, tháinig King ina diaidh, fuair muid corp Diane, agus ansin chaith tusa agus King cúpla lá ag dul timpeall le chéile … Ach, cibé ar bith, nuair a chuala Pauline an nuacht, thóg sí eitleán go Baile Átha Cliath agus d'inis sí an scéal ceart dúinn. Tá do mhac aici anois." Bhí ceann Sheáin fós lán de cheisteanna. "Cén fáth ar chreid sibh í?" ar seisean.

Sheas an bleachtaire suas. "Bhí cúpla fáth ann," ar seisean. "Uimhir a haon, bhí Diane marbh agus ní raibh scéal Pauline ábalta aon mhaith a dhéanamh di. Agus uimhir a dó, ……"

Chuir sé a lámh isteach i bpóca a chóta, ag tógáil amach pacáiste beag.

"É seo."

Thug sé an pacáiste do Sheán. "D'fhág Diane i dteach Pauline é, an oíche a fuair Emma bás. Ba mhaith le Pauline é a bheith agatsa." D'fhéach sé ar an gclog.

"Caithfidh mise bheith ag imeacht anois. Beidh mé ag caint leat go luath."

"Cá bhfuil Pauline anois? arsa Seán. "Ba mhaith liom bualadh léi."

Coiriúlacht – Crime

"Beidh sí ag teacht isteach am éigin inniu," arsa an fear eile, ar a bhealach amach an doras. "Slán!"

D'oscail Seán an pacáiste. Leabhar beag álainn a bhí ann. Tháinig sórt eagla air nuair a chonaic sé Diane Uí Bhriain/Dialann 1984 scríofa air. Ní raibh aon rud mór sa chéad fiche leathanach. Caint faoin aimsir, faoin obair. Anois is arís, tháinig ainm King isteach. Ansin, tháinig Seán ar phíosa a scríobh Diane go luath sa bhliain:

> 13 Feabhra Tá rud éigin dorcha faoi Phól nach dtuigim. Uaireanta bíonn sé imithe an oíche ar fad. Nuair a chuirim ceist air, tosaíonn sé ag caint faoi rud éigin eile.

Ina dhiaidh sin, bhí an chaint ar an aimsir agus rudaí beaga eile ann arís. Bhí cúpla rud ann faoi King a bheith ag dul amach san oíche arís agus faoin sórt daoine a raibh aithne aige orthu. "Daoine salacha le súile beaga."

Rinne Seán gáire nuair a chonaic sé é seo. Aon duine a raibh súile beaga aige, bhí rud éigin mícheart leis, dar le Diane. Rud ba ea é a fuair sí óna hathair, a chonaic Cumannaigh gach áit. Tháinig Seán go dtí a lá breithe féin.

> 14 Aibrean Fuar, ach geal. An ghrían mar bhalún álainn oráiste sa spéir. Breithlá Sheáin. Ba bhreá liom é a fheiceáil. "An bhfuil mo Dhaidí in Éirinn deas?" arsa Pádraig liom inniu. "Tá." arsa mise. Tá mo shaol caite le gaoith agam …

Ó mhí Aibreáin amach, bhí an sórt sin cainte ag teacht arís agus arís. Bhí Diane an-mhíshásta.

Ní 'Pól' a bhí sí a rá anois ach 'King'.

23 Meitheamh *Bhí an ceart agam. Tá sé ag díol drugaí. Inniu,*
bhuail sé Pádraig. Tá eagla orm. Ní thuigim
conas go raibh mé chomh hamaideach sin …

D'imigh an dialann cúpla mí ansin gan aon rud
scríofa ann. I mí Dheireadh Fómhair, scríobh sí dhá
rud. Ainm Sheáin agus a sheanseoladh ar
leathanach amháin agus, ar leathanach eile, focal
amháin — 'Emma'.

29 Samhain   *Tá Emma marbh. Bhí sé seo ag teacht agus ní*
dhearna mé aon rud. Caithfidh mé stop a chur
le King nó beidh daoine eile marbh. Tá a fhios
agam conas, anois ……

Stop an dialann ansin.

"Sin é é, Pauline. Sin é é."

D'fhéach Seán suas agus chonaic sé Pádraig agus
bean ard a raibh gruaig fhada dhubh uirthi.

"Heló, Pauline," arsa Seán ag cur amach a láimhe.

"Tá áthas orm bualadh leat," arsa Pauline.

Rith Pádraig go dtí an leaba. "Dúirt an dochtúir
liom nach bhfuil cead agam léim ort mar go bhfuil
pian mhór ort." D'fhéach Seán ar shúile geala an
pháiste, súile dána Diane. Rinne sé gáire.

"Tá cúpla pian orm, a stór!" D'fhéach sé ar
Phauline.

"Conas tá sé?"

"Ó, tá a fhios agat páistí. Ní thuigeann sé i gceart
fós, is dóigh liom."

Shuigh Pauline ar an gcathaoir a d'fhág an Brúnach in aice na leapa.

"Fuair tú an dialann."

"Fuair."

"Tá áthas orm faoi sin," ar sise go ciúin.

Bhí Pádraig ag rith suas agus síos an halla amuigh.

"Tá sé go breá ar a shuaimhneas leat," arsa Seán.

"Tá" arsa Pauline. "Ach caithfidh mé dul ar ais go Sasana. Thóg mé seachtain saor chun teacht anseo, ach tá obair agam arís amárach. Ba bhreá liom Pádraig a thógáil liom. Tá aithne mhaith aige orm. Beidh sé ceart go leor liomsa go dtí go mbeidh tusa ar do chosa arís."

"Bhuel," arsa Seán. "Ní bheidh mise ábalta rud ar bith a dhéanamh dó agus mé anseo i mo luí. Ach ní bheidh an t-am agat agus tú ag obair."

"Tá mo mháthair craiceáilte faoi Phádraig," ar sise. "Beidh sí ábalta an lá ar fad a chaitheamh leis nuair a bheidh mé ag obair."

"Ach rinne tú go leor. Ní féidir liom ......"

"A Sheáin, ..." Bhris sí isteach air. "Ní thuigeann tú. Bhí Diane mar dheirfiúr dom. Níor bhuail mé riamh le duine mar í. D'fhan sí i Sasana ag iarraidh Emma a shábháil. Sin é an fáth a bhfuil sí marbh anois."

Dhún Seán a shúile. Chuir sé a lámh thar a aghaidh. Tar éis tamaill:

"Cén fáth nár scríobh sí chugam riamh?"

"Chuir mé an cheist sin uirthi go minic. Gach uair, thug sí an freagra céanna. "Bhris mé a chroí. Ba cheart dó mé a ghlanadh amach as a cheann.""

"Áááá, Diane," arsa Seán go ciúin. "Conas?"

Chuir Pauline a lámh ar lámh Sheáin. "Más é do thoil é, tabhair Pádraig dom go dtí go mbeidh tú ceart go leor arís. Nuair a thagann tú amach as an ospidéal, is féidir leat fanacht linn agus tamall a chaitheamh ag cur aithne air arís roimh theacht ar ais go hÉirinn."

Rinne Seán gáire. "Ní dóigh liom go mbeidh do mháthair craiceáilte fúmsa." Las aghaidh Pauline.

"Beidh," ar sise. Sheas sí suas. "Tá eitleán ar a sé a chlog, caithfidh muid rith má táimid chun é a fháil."

"Pauline ...... go raibh maith agat."

"Abair slán le do Dhaidí," arsa Pauline le Pádraig a bhí ag obair go dian ag iarraidh na cuirtíní a tharraingt anuas. Tháinig an leanbh go dtí Seán. D'fhéach na súile dána air ar feadh cúpla soicind. Ansin, gan focal a rá, chuir sé a lámha timpeall ar mhuineál a athar.

"Tá súil agam go mbeidh do phian imithe go luath a Dhaidí," ar seisean.

Foclóir

Foclóir

An Tobar The Well
aréir last night
in aice leis beside
ag baint removing
casóg jacket
go luath early
le fada for a long time
béile a meal
cibé whatever
rud thing
cibé ar bith in any case
nuacht news

bhain sé he removed
caipín cap
reoite frozen
uaidh from him
go talamh to the ground
cosúil like
a mhac his son
sa gheimhreadh in the winter
ní raibh aithne cheart aige he didn't know properly
thuig sé he understood
ag caoineadh crying
lá éigin some day
sa chathair in the city
mar a tharla as happened
cheana before
ólta drunk
ó mhaidin since morning
dearmad a mistake

anocht tonight
ní féidir liom I'm not able to
fanacht stay
gan caint. without speaking

cheana already
fós yet
amuigh outside
briseadh a break
boladh smell
cinnte certain
ró-mhall too slow
post a job
a athair féin his own father
an rud céanna the same thing

glór Meiriceánach American voice
róthrom too heavy
má chaithim if I throw
ag díriú pointing
ag cuidiú helping
tart thirst
ag fanacht staying

am éigin some time
caithfidh mé I'll have to
b'fhéidir maybe
bhain sí an fhearg de she took away his anger
póg a kiss
chaith siad they spent

51

ag caitheamh spending
saor free
thuig understood
ró-chinnte too certain
ar thuig sé? did he
   understand?
ag fanacht staying
ró-shásta too happy
ach oiread either
ag pósadh marrying
cibé ar bith in any case
leanbh a child

deoch a drink
ag caoineadh crying
scian a knife
ina chroí in his heart
marbh dead
ag léamh reading
corp a body
an Life the Liffey
comhartha broinne birth
   mark
cosúil le like
ag caitheamh wearing
bhí eolas maith aige he
   knew well
minic often
póg a kiss
d'éirigh sé lag he became
   weak
chuige to him
go míshásta dissatisfied
buíochas thanks

marbh dead
staighre stairs

aon chodladh any sleep
go raibh aithne aige ar that
   he knew
an corp a fheiceáil to see the
   body
caithfimid we have
cinnte certain
an bealach ar fad the whole
   way
geal bright
ar an bpointe on the spot
báite drowned
chaith threw
piléar a bullet
aghaidh face
uair amháin once
cosúil le like
leac oighir ice
bhí aithne aige ar he knew

bhí súil aige he hoped
sona happy
amadán a fool
ar an tsráid on the street
máthaireacha mothers
ag rá saying
cinnte certain
Brainse Speisialta Special
   Branch
thaispeáin showed
an corp the body

trua pity
ar feadh i bhfad for a long
   time
bhí an chuma air it appeared
cinnte sure

ionadh amazement
cara a friend
gan obair without work
cibé ar bith in any case
caithfidh mé I have to
labhairt speak
tanaí thin

láidir strong
bhí an chuma air he had the appearance
bearbóir a barber
toitín a cigarette
cipín a match
lasta lit
cheana already
bleachtaire detective
chuige coming towards him (about to happen)
ag fanacht waiting
an ciúnas a bhriseadh to break the silence
ródheas too nice
mar bhábóg bhriste like a broken doll
ciúin quiet

ar feadh píosa for a while
post a job
ar cíos rented
d'inis told
aithne mhaith good acquaintance
le hionadh in amazement
earraí goods
thaispeáin sé he showed
an chathair the city

rudaí daora expensive things
banaltra a nurse

d'inis sé he told
bhí coinnle ar a shúile his eyes were blazing (coinnle = candles)
bhí an chuma air go raibh sé he appeared as if he was
chun about to
ní chreidim thú I don't believe you
andúileach addict
ina smidiríní in smithrereens
salach dirty
fiáin wild
eagla fear
ar dheoch on drink
ainmhí fiáin a wild animal
ró-dhona too bad
ró-dhorcha too dark
mar chapall like a horse
as a bhealach out of his way
go tapa quickly
fiú even
teach tabhairne a pub

i do dhiaidh after you
sílim I think
gur féidir linn that we can
cuidiú to help
oíche chodlata a night's sleep
beidh mé I will be
an t-anraith the soup
go mall slowly

aréir last night
las sé toitín he lit a cigarette
cipín match
bleachtaire detective
lán de sheanbhia full of old food
bruscar rubbish
ní thuigim I don't understand
scian a knife

LEATHANACH 16

aghaidh Sheáin Seán's face
ag caoineadh crying
má tá do mhac uait if you want your son
ní chreidim I don't believe
áit éigin fiáin somewhere wild
chomh dona as bad
anger fearg
cén fáth nár inis tú why did you not tell
ólta drunk
tuirseach tired
ní fhaca mé I didn't see
le dhá bhliain for two years
chun é a ghlanadh in order to clean it
isteach sa chathair into the city

LEATHANACH 17

an Caisleán the Castle
ar an mbealach on the way
ó shin ago
san fholcadán lán in the full bath
b'fhéidir maybe

faoin uisce under the water
cibé ar bith in any case
marbh dead
ag caoineadh crying
thuig Diane Diane understood
marbh dead
eitleán a plane
lán full
earraí goods

LEATHANACH 18

síleann siad they think
cosúil le gloine like glass
amuigh faoin spéir out under the sky
fiáin wild
dóigh way
labhair spoke
le tamall fada for a long while
beo alive
go luath soon
má d'fhág Diane if Diane left
ní féidir liom I can't
cheana already

LEATHANACH 19

cinnte certain
fuair sí bás she died
ionadh amazement
corp body
seanteach old house
seoladh address
chun in order to
a fheiceáil to see
is féidir linn we can
a fháil to get

fáth reason
dorcha dark
ag féachaint looking
i bhfad ó far from
imithe gone
tuirseach tired
chun a rá about to say

fós still ospidéal
nach dtuigeann aon duine
    that nobody understands
cibé ar bith in any case
bleachtaire detective
ró-shásta too happy
an bhanaltra the nurse
briseadh change
scáthán a mirror
pionsail pencils
bráisléad bracelet
An Tobar The Well
seanlaethanta old days
áit speisialta a special place
tobar ceart a proper well
ar chor ar bith at all
seanchrann an old tree
poll a hole
lár middle
cnoic hills
in aice le beside
leathmhíle half a mile
ar cíos rented
crua hard
Meiriceánach an American
seandéanamh old make
a thabhairt abhaile to bring
    home
aon fháilte any welcome

eagla fear
titim i ngrá to fall in love
tír a athar his father's
    country
a fhágáil to leave
ba mhaith leo they wanted
a bheith to be
le chéile together
a rá tos ay
'an tobar' 'the well'
áit álainn a lovely place
ar an toirt on the spot
crainn trees
cnoic hills
cosúil le like
radharc a view
ciúnas silence
leath half
laethanta samhraidh
    summer days
siléar a (wine) cellar
a fhágáil to leave
cinnte certainly

bráisléad bracelet
glór na banaltra the nurse's
    voice
salach dirty
cuma appearance
go lag weakly
fliuch wet
tirim dry
tuigim, I understand
fanacht to stay
boladh smell
an bháis of death

tanaí thin
ag léamh reading
aithne acquaintance
cheana before
léigh sé he read

gan focal a rá without saying
   a word
fiáin wild
dóigh way
ní mórán not much
bhain sé he took
gafa tríd gone through
seanseoladh old address
níochán a wash

An Tobar The Well
go díreach exactly
sásta happy/prepared
a insint to tell
cuid mhaith quite a lot
trína cheann through his
   head
an fhéachaint dhorcha the
   dark look
san am céanna athe same
   time
é a thabhairt to bring him
níor mhaith leis he wouldn't
   like
ró-phearsanta too personal
teacht air to come upon it
sasta happy/prepared
a thabhairt ar ais to gile it
   back
chun a mhac a fháil to get
   his son

cead permission
draíocht magic
a bhriseadh to break
reoite frozen
riamh ever
sa gheimhreadh in winter
dearmad mistake
mícheart wrong
a ghabháil to take
seangheata an old gate
trom heavy
seanaithne old acquaintance
laethanta days
gealgháireach cheerful
sona happy

faoi phósadh about marriage
ag suirí courting
áit álainn a lovely place
ciúnas silence
ó shin ago
ó thuaidh northwards
an chathair the city
geal bright
simléar ard high chimney
ag caitheamh toite belching
   smoke
chun na spéire to the sky
ag taitneamh shining
sléibhte mountains
bhí an chuma air it appeared
tar éis a bheith after being
rófhada ó shin too long ago
talamh ground
ag bualadh beating
ar dtús at first
crua hard
shíl sé he thought

56

an seans the chance
pian tobann a sudden pain
trína chorp through his body
ciúnas silence
ina luí lying
go tapa quickly
chun about to
cúpla slat uaidh a couple of
yards from him

LEATHANACH 27

shíl sé a bheith he thought
to be
bleachtaire detective
meánaosta middle-aged
fear gunna a gun man
mar as tuigim I understand
ag cuidiú liom helping
ar chor ar bith at all
gáire fuar a cold laugh
de shórt éigin of some sort
Sasanach an Englishman
an dóigh leat? do you think?
gur thuig tú that you
understood
las lit
mar mhaisín 'Pinball' like a
'Pinball' machine
rómánsúil romantaic
caithfidh mé a rá I must say
ag súil (le) expecting
ag iarraidh trying
láidir strong
sa bholg in the stomach
an anáil the breath
gan do ghunna without
your gun
ró-láidir too strong

LEATHANACH 28

ag foghlaim learning
a mharú to kill
ní chreidim tú I don't
believe you
iontach great
fanacht stay
ró-mhór too big
a insint to tell
cuid mhaith a good part
le hionadh with amazement
go mall slowly
marbh dead
ar chor ar bith at all
ní raibh uait ach all you
wanted was
mar bhuille ar a bhéal like a
belt in the mouth
lánoscailte wide open

LEATHANACH 29

má dhéanann tú if you do
amaideach foolish
lánsásta very happy
piléar a bullet
bóithrín boreeen (narrow
road)
suíochán an phaisinéara
passenger seat
easnacha ribs
tosaigh start
a fheiceáil to see
leanbh child
a fháil amach to find out
ar dtús first
róchinnte de féin too sure of
himself
chomh as

go minic soon
dearmad a mistake
an chathair the city
trasna across
ó thuaidh northwards
Baile Phib Phibsboro

an phéint the paint
bhí an chuma air it looked
    like
le fada for a long time
trom heavy
cosúil le dhá spáid like two
    spades
ag caoineadh crying
óg young
aghaidh face
ar an bpiliúr aon the pillow
thuig sé he understood
súile fliucha wet eyes
rud éigin faoi something
    about
glór nua new voice

freagra a thabhairt to give
    an answer
ainmhí animal
ag iarraidh trying
ghoid stole
cá ndeachaigh mé where I
    went
má if
ró-shásta too happy
álainn beautiful
amaideach foolish
scian a knife

dóigh sásta satisfied way
reoite le heagla frozen with
    fear
dírithe pointed
cheana already
cibé ar bith in any case
a bheith to be
cinnte certain
tobar well
fótóchóip photocopy
deireadh an end
laethanta saoire holidays
timpiste an accident
ar an mballa on the wall
rud fiáin wild thing
má rinne Diane if Diane
    made
dochar déanta harm done
éinne anyone
leanbh child

ordóg thumb
turas fada a long journey
ainmhí animal
dírithe pointed
chomh geal as bright
solas láidir strong light
glór voice
armtha armed
tagadh gach duine let each
    person come
cúpla piléar a couple of
    bullets
gloine a voice
ag briseadh breaking

poll a hole
idir between
ró-mhall too late/slow
cheana already
d'fhan sé he stayed

LEATHANACH 35

muineál neck
thaispeáin sé he showed
an áit a fhágáil to leave the
   place
piléar a bullet
ag tarraingt puling
aon aer a fháil to get any air
nuair nach raibh sé when he
   wasn't
ábalta able to
a fháil saor to get free
gach fiacail every tooth
bhí coinnle ar a shúile his
   eyes were blazing
ceacht deireanach last lesson
a fhoghlaim to learn
ag díriú pointing
a ghlór féin his own voice
idir between
lena chorp ar fad with his
   whole body
an buille the blow
chomh láidir sin so strong
thóg sé it lifted
glan as a sheasamh clean off
   his feet
ag caitheamh throwing
gloine glass

LEATHANACH 37

ag tarraingt pulling
fráma frame

shíl Seán Seán thought
ar feadh tamaill fhada for a
   long time
soilse lights
an phian the pain
ag fáil bháis dying
an ghrian the sun
sléibhte Ghleann Cuilinn
   the mountains of
   Glencullen
cad a bhí uaidh what he
   wanted
go tapa quickly
chomh fada le as far as
ag iarraidh trying
chas sí she turned
chun about to
póg a kiss
ag rá saying
teirmiméadar a thermometer
tá súil agam I hope
ó shin ago
banaltra a nurse

LEATHANACH 38

go luath soon
anraith soup
an-lag very weak
am éigin sometime
le seachtain anuas for the
   past week
cead isteach admission
in ainm Dé in the name
   of God
díreach imithe just gone
tanaí thin
ná habair don't say
gur aithin tú mé that you
   recognised me

in aice na leapa beside the
  bed
níor shíl mé I didn't think
i do dhiaidh after you

istigh ar in on
sórt tíre kind of country
fearg anger
caithfidh tú you have to
i m'áitse in my place
sa tír in the country
ag dul timpeall going
  around
jab a job

chreid sibh you believed
chomh briste sin so broken
sásta éisteacht prepared to
  listen
ag iarraidh trying
go lag weakly
dochar harm
an ghloine the glass
ribíní ribbons
easna rib
ró-dhona too bad
ar dtús first
anuas air on top of him
muineál neck
ciúin silent
ag dul tríd going through
súile fiáine wild eyes
ag díriú pointing
chun about to
a mharú to kill
ainmhí animal

ró-dhéanach too late
chun imeacht to go
gan focal a rá without saying
  a word
an-chosúil very like
d'inis told
a chuidiú his help
nár imigh sí that she didn't
  go
ag fáil bháis dying
droch-hearóin bad heroin
stricnín strychnine (poison)
ag díol selling
ag tógáil taking
chomh dona sin so bad
lán d'ainmneacha full of
  names
tír country

a thabhairt too give
go dtí gur inis tusa until you
  told
teacht orm come upon me
  (find me)
eolas knowledge
ag iarraidh trying
as an mbealach out of the
  way
ina diaidh after her

bás King King's death
an chuma a bhí air the way
  it looked
eitleán a plane
lán full

é a bheith agatsa you to
  have it
caithfidh mise bheith I have
  to be
go luath soon
bualadh léi to meet her

pacáiste package
eagla fear
scríofa written
go luath early
nach dtuigim that I don't
  understand
cuirim ceist air I question
  him
a raibh aithne aige orthu
  that he knew
mícheart wrong
cumannaigh communists
lá breithe birthday
geal bright
balún a baloon
Tá mo shaol caite le gaoith
  agam I have thrown mylife
  to the wind (away)
an-mhíshásta very unhappy

chomh hamaideach sin so
  foolish
dialann diary
scríofa written
Deireadh Fómhair October
bualadh leat to meet you
i gceart properly

an Brúnach Mr. de Brún
ar a shuaimhneas at ease
saor free
tá aithne mhaith aige orm
  He knows me well
craiceáilte crazy
mar dheirfiúr like a sister
ag iarraidh trying
a shábháil to save
marbh dead
chugam to me

an freagra céanna the same
  answer
a ghlanadh to clean
más é do thoil é please
tamall a chaitheamh to
  spend a while
ag cur aithne air getting to
  know him
roimh before
gan focal a rá without saying
  a word
muineál neck
tá súil agam I hope